Carry Slee

Hallo baby!

Met tekeningen van Dagmar Stam

Met dank aan Marion Nieuwenhuizen, conservator van het Veluws museum Nairac te Barneveld.

De liedjes en gezegden komen uit: *Oldemar*
Rijmen, liedjes en gezegden over de ooievaar.
Verzameld door A. Scoemaker Ytsema.
Uitgeverij Kerckebosch Zeist.

Eerste druk 1992
Zeventiende druk 2005

Avi-niveau: 7

ISBN 90 6494 074 6

Zure haring met slagroom

'Tringggg...' rinkelt de telefoon.
Michiel smijt zijn trein neer. 'Ik pak hem!'
'Nee ik!' Iris en Michiel stuiven ernaartoe.
Tegelijk grijpen ze de hoorn vast.
'Stommerd, laat los!' Iris geeft Michiel een
klap.
'Met...' Verder komt ze niet, want Michiel heeft
de hoorn uit haar handen gegrist.
'Met Michiel... AUWWW!' Een keiharde ruk aan
zijn haar.
'Spreek ik met de familie Auw?' vraagt de stem
aan de andere kant van de lijn. 'Sorry, dan heb
ik zeker verkeerd gedraaid.'
Nu herkennen Iris en Michiel de stem van
pappa.
'Hoi, pap!' roepen ze door de hoorn. 'Wij zijn
het, hoor. We hadden alleen een beetje ruzie.'
'O,' antwoordt pappa laconiek. 'Is dat alles?
Geef me mamma maar even.'
Alweer? Iris en Michiel kijken elkaar aan.
Waarom belt pappa toch elke keer? Het is nu al
de tweede keer vanmiddag.
'Mam!' brult Iris naar boven.
Met een verhit hoofd komt mamma de kamer
in. Ze pakt de hoorn en begint met een
geheimzinnige stem tegen pappa te smoezen.
'Nee schat,' horen ze haar zeggen. 'Ik maak me

niet te druk. Ik ben de kamer van de tweeling
aan het uitmesten.'
'Wáát...?' Iris en Michiel stormen de kamer uit
naar boven.
Zie je wel, als ze het niet dachten. Uitmesten
noemt ze dat...
Midden in hun kamertje staat een grote
vuilniszak propvol speelgoed. Verontwaardigd
houden ze de zak open.
'Moet je zien wat mamma allemaal heeft
weggegooid!' Iris houdt een lapje omhoog.

'Stop dat vod terug!' snauwt mamma.

'Vod?! Dat is Loesjes tutteltje.' Iris bergt het op in het poppenbedje.

'En dit is een cadeautje voor Beers verjaardag!' Michiel haalt een pakje uit de zak.

'En dit is van ons schooltje en dit...'

Mamma grijpt vermoeid naar haar hoofd. 'Ik weet het goedgemaakt. Alsjeblieft!' Ze tilt de zak op en zet hem met een bons weer neer.

'Ruim alles maar keurig op wat niet weg mag. Wat wél weg mag laten jullie er maar inzitten. Maar denk erom, niet alles eruit halen. Die zak zit minstens voor de helft gevuld met troep.'

Mamma loopt met driftige stappen het kamertje uit. Iris en Michiel snuiven. Wat heeft mamma toch? De laatste tijd doet ze zo zenuwachtig. Nou ja.

Ze kieperen de vuilniszak om. Michiel moet ervan zuchten. 'Wat een werk.'

Maar Iris weet er wel wat op. 'Zo klaar!' En ze wil de hele berg speelgoed onder het bed schuiven.

Michiel houdt haar tegen. 'Pas op! Zo meteen merkt ze het en dan smijt ze toch nog alles weg.'

Oké, dan zit er niks anders op. Een voor een bergen ze de spulletjes op in de speelgoedkast. 'Hèhè, klaar!' Iris propt de lege zak in elkaar en wil hem van de trap gooien.

'Niet doen!' sist Michiel. 'Ze zei toch dat die zak niet helemaal leeg mocht?'

'Maar ik wil niks weggooien,' sputtert Iris.
'Ik ook niet,' mompelt Michiel.
Ze gaan op hun bed zitten en turen hun
kamertje rond. Dan valt Iris' oog op de
klerenkast.
'Die stomme ruitjesblouse stop ik erin...'
Dat vindt Michiel een prima idee. 'Die
kinderachtige gebreide eendjestrui van tante
Ans doe ik en die...'
Hup. Hup. Hup. In een wip zit de vuilniszak
halfvol met kleren.
Gniffelend lopen ze de trap af.
'Dit mag allemaal weg!' zegt Iris als ze de
vuilniszak de keuken indraagt.

'Mooi zo, geef maar hier.' Mamma pakt de zak om hem naar buiten te brengen. Maar wat is die licht? Ze krijgt argwaan en kijkt erin. Iris knijpt in Michiels hand.

'Zijn jullie helemaal gek geworden!' roept mamma uit. 'Dat zijn stuk voor stuk prachtige kleren!'

'Wat je prachtig noemt,' zegt Iris. 'Die stomme dingen dragen we toch nooit meer, dus.'

'Toch mogen jullie niet zomaar jullie kleren weggooien,' zegt mamma boos.

'En jij mag niet zomaar ons speelgoed weggooien,' vindt Michiel.

'Je hebt gelijk,' zegt mamma. Zuchtend zakt ze neer op een keukenstoel. Met een beteuterd gezicht kijkt ze naar het aanrecht dat vol afwas staat. 'Ik ben zo moe...' kreunt ze. 'En ik moet het eten nog klaarmaken. En ik moet ook nog strijken...' Mamma ziet eruit of ze zo kan gaan huilen.

'Ben je ziek? Je ziet er zo wit uit.' Iris aait bezorgd over mamma's wang.

'Laat mij maar,' zegt mamma. 'Ik ben een beetje misselijk. Het gaat zo wel weer over.'

Dan gaat de keukendeur open. Pappa staat in de deuropening. Hij houdt een glazen potje omhoog. 'Verrassing!'

'Hmmmm...!' Mamma valt hem stralend om de hals. 'Zure haring! Wat ben je toch een lieverd.'

Pappa legt een zure haring op een bordje.
Daarna doet hij de koelkast open en kwakt een
klodder slagroom op de haring.
Mamma begint meteen te smullen. Iris trekt
Michiel de gang op. 'Snap jij dat nou? Ze was

zo misselijk.' Michiel haalt zijn schouders op.
Dan gaat de telefoon.
'Nou mag ik!' roepen ze alletwee tegelijk en ze
stormen de huiskamer binnen.
'Met... Au! Auw! Stommerd... Laat me los...
Hou op...'
'Hallo?' klinkt het aan de andere kant van de
lijn.
'Opa!' Op slag zijn ze de ruzie vergeten.
'Ik hoor het al, het gaat goed met jullie,' lacht
opa door de hoorn.
'Met ons wel,' begint Iris. 'Maar mamma...'
'Wat is er met mamma,' valt opa haar bezorgd
in de rede.
'Ze is steeds misselijk,' vertelt Michiel.
'Ja,' zegt Iris. 'Toch eet ze zure haring met
slagroom. Rara, hoe kan dat nou?'
'Eet mamma zure haring met slagroom?'
'Ja,' gaat Iris verder. 'En soms zitten we tegen
mamma te praten en dan vallen zomaar haar
ogen dicht. En even later snurkt ze.'
'Midden op de dag,' vult Michiel aan.
'Menen jullie dat nou?' Opa's stem klinkt
vrolijk.
'Het is heus niet leuk, hoor,' moppert Iris. 'Ze
heeft de opruimerietes. Vandaag heeft ze zowat
onze hele speelgoedkast in een vuilniszak
gestopt.'
'En ze is zó boos,' jammert Michiel. 'Ook als we
niks doen.'
'Hoera!' juicht opa.

9

'Helemaal niet hoera!' zegt Iris kwaad. 'Het is
juist hartstikke rottig.'
Maar wat Iris en Michiel ook vertellen, opa
raakt steeds meer in een feeststemming.
Verbaasd leggen ze de hoorn op de haak.
Als ze de keuken inkomen, heeft mamma de
zure haring helemaal opgegeten.
'Hmm... Ik zou er best nog een lusten.' Mamma
likt met haar tong langs haar lippen.
Pappa schudt zijn hoofd. 'Dat wordt te veel.
Morgen mag je er weer een.' En hij bergt het
haringpotje in de kast op.
'Morgen pas?' vraagt mamma teleurgesteld.
Iris en Michiel kijken elkaar aan. Gaat
mamma morgen weer zoiets geks eten?
'Als wij maar niet hoeven!' Met een vies gezicht
kijken ze naar het lege bord.
'Nee,' lacht pappa. 'Dit is alleen voor mamma.'
Nu snappen ze er echt niks meer van.

Verrassing

'Mogen we nog even buiten spelen?' vragen Iris
en Michiel als ze klaar zijn met eten.
Mamma en pappa kijken elkaar aan.
'Mag het nou of mag het niet?' wil Iris weten.
'We wilden jullie eigenlijk iets vertellen.'
Pappa trekt een geheimzinnig gezicht.
'Een verrassing!' Iris en Michiel zijn dol op
verrassingen. Meteen zitten ze bij pappa op
schoot.
'Vertel dan!' Iris trekt aan zijn neus.
'Nee, mamma mag het vertellen.'
Mamma krijgt rode wangen. Haar ogen
stralen. 'Nou eh... ik eh... We krijgen een baby.'
'Joepie!' Iris springt van pappa's schoot en
danst door de kamer. 'Ik krijg een zus.'
'Hoera! Ik krijg een broer!' juicht Michiel. 'Ja
mam, het is een broertje, hè?'
Mamma glimlacht. 'Dat weten we nog niet. Pas
als het kindje geboren wordt, weten we wat het
is.'
'Het baby'tje mag lekker bij ons op de kamer!'
jubelt Iris. 'Kom Michiel. We gaan meteen het
wiegje van zolder halen.'
'Ja!' Michiel klapt van blijdschap in zijn
handen. 'En de kinderwagen, dan kunnen we
morgen met hem rijden. En het badje en de
kinderstoel en...' Ze willen de kamer al uit
hollen.

'Wacht eens even, jullie,' zegt mamma. 'Het duurt nog heel lang voordat het baby'tje geboren wordt.'

'Hoe lang?'

'Eerst wordt het nog Sinterklaas,' legt pappa uit. 'En dan Kerstmis. En dan ben ik jarig. En pas dan, als de blaadjes bijna aan de bomen komen, wordt het baby'tje geboren.'

Teleurgesteld kijken Iris en Michiel elkaar aan.

'En moet het dan al die tijd in jouw buik zitten? Wat saai!' vindt Iris.

'Het baby'tje vindt het helemaal niet saai,' lacht mamma. 'Het groeit elke dag. En het zwemt in een heerlijk badje. Dat zit in een soort zakje in mijn buik.'

'Dan moet hij wel zijn oogjes goed dichthouden,' waarschuwt Michiel. 'Anders krijgt hij prikogen van al dat chloor. Net als met zwemles. Dat doet pijn, hoor!'

Pappa aait Michiel over zijn bol. 'In mamma's buik zit geen chloor. Het is heerlijk zoet water. Vruchtwater noemen ze dat.'

'Maar moet zo'n kleine baby dan nooit slapen?' vraagt Iris.

Mamma knikt. 'Het slaapt in mijn buik. Als ik loop, valt het baby'tje van het geschommel in slaap. En als ik ga zitten of liggen wordt het juist wakker.'

'En hoe moet het baby'tje dan eten?' vraagt Michiel. 'Want als hij zijn piepkleine mondje

opendoet, krijgt hij allemaal water binnen.'
'Ja,' zegt Iris. 'En dan verslik je je, hoor. Dat is
hartstikke rottig.'
'Het baby'tje eet niet door zijn mondje,' legt
mamma uit. 'Het eet door de navelstreng.'
'De navelstreng...?' Iris en Michiel schieten in
de lach. 'Wat een raar woord. Wat is dat nou
weer voor iets? Is dat een soort bord of zo?'
'Het is geen bord.' Mamma pakt een stuk
papier en tekent hoe het er vanbinnen in haar
buik uitziet. 'Dit is de navelstreng.' Ze wijst op
een soort slangetje dat aan de ene kant aan de
navel van het baby'tje vastzit en aan de andere
kant aan haar buik.
'Van alles wat mamma eet, krijgt de baby ook
een hapje,' vertelt pappa.
'Ook van die zure haring met slagroom...?

Blèèèè...' Iris en Michiel trekken een vies gezicht. 'Geef hem dan nu maar gauw een koekje.' Iris doet de trommel open en duwt een chocoladekoekje in mamma's mond.

'Dat vindt de baby heerlijk,' zegt pappa.

'Maar als hij eet,' bedenkt Michiel opeens, 'dan moet hij toch ook plassen en poepen?'

'Ja,' valt Iris hem bij. 'Waar doet hij dat dan?'

'Ook in het vruchtwater,' legt mamma uit.

'Gatver! Dan zwemt hij in zijn eigen stinkie-stankie!' Iris en Michiel knijpen hun neus dicht.

'Nee, gekkies!' Mamma schiet in de lach. 'Dat water wordt telkens schoongemaakt. Handig, hè?'

'Zwommen wij vroeger ook in jouw buik?'

'Jazeker.' Mamma slaat een arm om hen heen.

'Maar wij waren met zijn tweetjes,' zegt Michiel. 'Dat was veel leuker.'

'Wij hadden dikke keet,' zegt Iris. 'Wij spatten elkaar nat.'

'Ja,' Michiel geeft zijn zus een por. 'En ik pieste lekker stiekem in jouw oor.'

'En ik poepte op jouw hoofd,' zegt Iris, stikkend van de lach.

Michiel kriebelt tegen mamma's buik. 'Ben je daarom ook misselijk, mam? Omdat hier een baby'tje zit?'

Mamma knikt. 'En af en toe word ik heel mopperig. Daar kan ik niks aan doen.'

Iris kruipt met haar hoofd onder mamma's trui.

Ze houdt haar mond vlak bij de navel. 'Hallo, klein zwemmertje, maak jij mamma misselijk? Dat mag niet, hoor!'

'Hoort hij toch niet,' zegt Michiel lachend.

'Nu nog niet,' vertelt pappa. 'Maar over een poosje kan de baby alles door mamma's buik heen horen. Dan vindt hij het heerlijk als je een slaapliedje voor hem zingt. En soms schrikt hij ook. Als er een brommer knetterend langs raast bijvoorbeeld.'

'Dus dan kent hij onze stem al?' vraagt Iris.

'Ja, over een paar maanden weet hij precies dat jij Iris bent.'

'Klopt,' zegt Michiel stoer. 'Toen wij in mamma's buik zaten, hoorden we jullie ook kletsen.'

'Ja,' verzint Iris. 'Pappa maakte altijd gekke grappen. En dan moest mamma lachen. En dan schommelden wij heerlijk heen en weer.'

'Heel hoog,' bedenkt Michiel. 'Af en toe sloegen we zelfs over de kop.'

'Jullie zijn een mooi stel.' Mamma stapelt de vuile borden op. 'Ga nu nog maar even buiten spelen. Niet te lang meer. Anders wordt het te laat.'

'Dat is vals!' roept Iris. 'Toen wij in jouw buik zaten, hoorden we jullie altijd zeggen dat wij nooit vroeg naar bed hoefden.'

'Ja,' zegt Michiel. 'En we mochten net zoveel snoepen als we wilden.' Hij pikt vlug twee koekjes uit de trommel.

'Jokkebrokken!' Pappa rent lachend achter hen aan, maar Iris en Michiel hollen de zandbak in. Ze maken een grote feesttaart. Omdat er een kindje komt.

De vroedman

Mamma's buik wordt steeds dikker. Vandaag
zijn Iris en Michiel mee geweest naar de
verloskundige. Dat is een soort dokter die in de
gaten houdt of de baby goed groeit. Mamma
heeft verteld dat een verloskundige ook wel
vroedvrouw wordt genoemd en dat zij dat veel
leuker vindt klinken. Iris en Michiel vinden
het alletwee maar gekke namen.
De vroedvrouw zette een soort microfoontje op
mamma's buik. En toen hoorden ze het hartje
van de baby kloppen.
'Later word ik ook vroedvrouw,' zegt Michiel
als ze weer thuis zijn. 'Lijkt me leuk met al die
baby'tjes.'
'Hè, jij een vroedvrouw? Dat kan geeneens! Je
bent toch een jongen!' roept Iris uit.
'Nou en, dan word ik vroedman,' beslist
Michiel.
'Zullen we spelen dat ik een baby'tje in mijn
buik heb?' stelt Iris voor. 'Dan kan jij alvast
oefenen voor later.'
'Ja!' Michiel gaat achter het tafeltje zitten. 'Dit
was mijn vroedmannenkamer. Ik was de
vroedman en jij kwam bij mij.'
'En ik had pop Loesje en Beer bij me,' zegt Iris.
'Want die willen het baby'tje ook wel eens
horen natuurlijk.'

18

'Goed.' Terwijl Michiel alle attributen bij elkaar zoekt, stopt Iris een kussen onder haar trui. Nou lijkt het net of ze echt een baby in haar buik heeft.

'Kinderen!' Iris klapt in haar handen. 'Jullie lieve moeder gaat naar de vroedman.'

'Ik wil mee!' schreeuwt pop Loesje vanuit de poppenhoek.

'Ik ook!' roept Beer.

'Maar niet zo,' waarschuwt Iris. 'Moet je zien, Beer, hoe je eruitziet.' Ze neemt Beer mee naar de kraan en veegt met een doekje zijn kopje schoon. Dan zet ze de knuffels in het poppenwagentje en rijdt een paar rondjes door het kamertje.

'Ziezo, we zijn er. Tringgggg...!'

'Kom maar binnen, de deur is open,' brult de vroedman vanachter zijn tafel.

'Dag vroedman.' Iris geeft Michiel deftig een hand.

'Dag mevrouw, gaat u maar meteen liggen dan zal ik naar de baby luisteren.'

'Nee, suffie!' zegt Iris. 'Zo moet het niet. Je moet eerst van alles aan mij vragen. En dat moet je allemaal opschrijven in je vroedmannenboek.' Ze gaat op een stoeltje aan de andere kant van het tafeltje zitten. Pop Loesje en Beer zet ze op haar schoot.

De vroedman pakt een potloodje en slaat zijn boek open.

'Hoe gaat het met u?' vraagt hij.

'Goed,' antwoordt Iris. 'Ik ben niet meer misselijk gelukkig.'
'Mooi zo.' De vroedman zet een heleboel krabbels in het boek.
'En hoe is het met de zure haring?'
'Heerlijk.' Iris likt haar lippen af. 'Ik heb er al wel duizend op.'
Dan wendt de vroedman zich tot pop Loesje.
'En kindje, hoe vind jij het dat je een broertje krijgt?'
'Dat kan je nog niet weten,' antwoordt pop

Loesje kattig. 'Pas als het baby'tje is geboren, weet je of het een jongetje of een meisje is.'
'Hmmm,' mompelt de vroedman. 'En jij Beer, hoe vind jij het?'
'Leuk,' zegt Beer. 'Als het maar geen zusje is. Zusjes zijn dikke vette oliebollen.'
'Nou zeg.' Pop Loesje snuift verontwaardigd. 'Je bent zelf een dikke vette oliebol.' En ze geeft Beer een duw.
'Toch wil ik lekker geen zusje,' houdt Beer koppig vol. En hij steekt zijn tong uit naar Loesje.
'Slappe pudding-Beer, ik zal je!' Pop Loesje duikt boven op Beer. Nu rollen ze over de tafel van de vroedman. Alle papieren vliegen in het rond.
'Stop jullie!' schreeuwt Iris boos. Ze haalt pop Loesje en Beer uit elkaar. 'Ben je helemaal mal, stoute Beer.' Ze doet de deur open en kwakt Beer op de gang.

'Kijk uit!' roept de vroedman. 'Je mag niet met
Beer gooien. Hij heeft toch al een scheur in
zijn buik. Anders smijt ik die stomme pop weg.'
'Beer begon,' zegt Iris. 'Loesje doet nog
geeneens iets.'
'Welles,' zegt de vroedman. 'Die pop stinkt.'
'Nietes, ze is pas in bad geweest. U moet zich
niet met deze twee kinderen bemoeien,
vroedman. Bemoeit u zich liever met het
baby'tje in mijn buik.'
'O ja, gaat u maar liggen, dan kan ik even
luisteren.'
Michiel zet een leeg closetrolletje op de buik
van Iris en drukt zijn oor ertegenaan.
'Hoort u wat?' vraagt Iris.

'Ik hoor iets geks.' De vroedman kijkt
bedenkelijk.
'Hoe bedoelt u? Hoort u soms het vruchtwater
klotsen?'
De vroedman trekt een gewichtig gezicht. 'Ik
hoor nog wat.'
'Wat dan?' vraagt Iris geschrokken.
De vroedman houdt nog een keer het rolletje
tegen haar buik. Hij luistert en... 'Ik hoor
OEAAA OEAAA OEAAA en heel hard geroffel. Ik
denk dat er een aap in uw buik zit.'
'Een aap?' Eerst schiet Iris in de lach, maar
dan wordt ze verdrietig. 'Ik wil geen aap, ik wil
een lief kindje.'
'Een lief aapje is toch ook leuk,' vindt de
vroedman.
'Maar ik vind een aapje in de wieg niet leuk,'
zegt Iris met een huilerig stemmetje. 'Die klimt
eruit en springt in de gordijnen. Of in de lamp.
Zou u het soms leuk vinden als uw lieve
baby'tje aan de lamp bengelde?'
Nu moet de vroedman ook wel een beetje
lachen. 'Eens even kijken in mijn
vroedmannenboek of er een drankje bestaat om
de aap om te toveren in een lief baby'tje.'
Michiel haalt een dik boek uit de kast en
bladert het door. 'Aha, hier heb ik het! U heeft
geluk. Er bestaat een drankje voor.'
'Echt waar?' vraagt Iris.
'Ja, ik zal het onmiddellijk voor u maken.'
De vroedman zoekt een leeg flesje en stopt

daarin water en een dropje. Hij schudt het
flesje heen en weer, net zolang tot het dropje is
gesmolten. Dan zet hij het op tafel. En terwijl
hij met zijn handen geheimzinnige bewegingen
boven het flesje maakt, fluistert hij:
'Dikke rooie apenbil...
Doe gauw wat de vroedman wil...'
En dan pakt hij het flesje en giet wat in Iris
haar mond.

'Hmmm, lekker,' zegt Iris. En ze gaat weer
liggen. De vroedman zet het closetrolletje nog
een keer op haar buik en luistert.
'En?'
'Gefeliciteerd, mevrouw. Ik hoor het hartje van
een heel lief klein kindje.'
'Hoera!' Iris valt de vroedman om zijn nek.

24

'Iris, Michiel, eten!' roept mamma onder aan de trap.

'Jammer,' zegt Iris, 'het was net zo leuk.' Ze kijkt naar het flesje. 'Die toverdrank moet je nooit weggooien, hoor, die moet je bewaren voor als je later zelf een kindje krijgt.'

'Ja,' zegt Michiel, 'dan weet ik tenminste zeker dat het een lief kindje wordt.' Opeens krijgt hij een idee. 'We doen een beetje in mamma's thee...'

Met het flesje in hun hand rennen ze de trap af. Als mamma in de keuken staat doen ze gauw een scheutje toverdrank in haar kopje thee. Gespannen kijken ze toe als mamma het hele kopje leegdrinkt.

'Hoera!' juichen ze dan. Nu krijgen ze een heel lief baby'tje.

De babykamer

'Ik kom eens even inspecteren of het mooi
wordt.' Opa Vink steekt zijn hoofd om de
keukendeur.
Mamma kijkt op van haar naaimachine. 'Loop
gerust door. Ik maak de gordijnen even af als u
het niet erg vindt. De babykamer is daar.' Ze
wijst naar het middelste kamertje recht
tegenover de trap.
'Zo, hier wordt gewerkt!' Opa kijkt vol
bewondering naar het gloednieuwe behang.
'Mooi, hè? Dat hebben wij uitgezocht,' zegt
Iris. 'Ik vind die girafjes het mooist.'
'Ik de krokodilletjes,' zegt Michiel.
Trots laten ze opa Vink het wiegje zien. 'Kijk
eens, opa, daar hebben wij ook nog in gelegen.'
'Ik heb hem alleen een beetje kleiner gemaakt,'
zegt pappa. 'Hij was wel wat erg ruim voor één
baby.' Pappa legt de laatste baan behang op de
plaktafel. Iris en Michiel rennen ernaartoe. Zij
mogen er plaksel opsmeren.
'Even kijken of ze lang genoeg zijn.' Mamma
komt binnen met de gordijnen.
'Nou nou, dat baby'tje krijgt het hier wel
goed,' lacht opa.
'Dat moet ook,' vindt Iris. 'Zo'n lief baby'tje
moet toch een mooi kamertje krijgen?
Dat had u toch zeker ook toen u klein was?'

'Ik? Een eigen kamertje?' Opa schiet in de lach.
'Nee kinderen, dat was er vroeger niet bij. Wij
woonden in een piepklein huisje. Mijn vader
en moeder hadden dertien kinderen. Mijn
tweelingbroertje lag in een houten kistje dat
op de rand van de bedstede stond.'
'In een kistje?' Iris en Michiel kijken opa vol
ongeloof aan.
'Ja,' gaat opa verder, 'en die had nog geluk.
Weten jullie waar ik lag?'
'Bij je pappa en mamma in bed,' raadt Iris.
Opa schudt zijn hoofd.
'In een schommelwiegje aan het plafond,'
probeert mamma.
'Mis,' zegt opa. 'Jullie raden het toch nooit. Ik
werd in de onderste la van de kast gelegd.'

'Wat zielig...' Iris en Michiel strelen opa's hand.

'Nee hoor, ik was niet zielig. Ze lieten die la natuurlijk wel een stukje open. Zo ging dat. Het was een andere tijd. Alles was anders.'

'Mag ik er even langs?' Mamma duwt opa een stukje opzij.

'Nou nou, je hebt al een behoorlijk dikke buik.' Mamma kijkt trots. 'Ja hè? We hoeven het nu aan niemand meer te vertellen. Iedereen ziet het.'

Opa Vink gaat in de rieten stoel zitten die in een hoekje van het kamertje staat. 'Weten jullie hoe ze vroeger, héél vroeger, vertelden dat er ergens een kindje op komst was?'

'Nee,' Iris en Michiel kruipen bij opa op schoot.

'Dat wil ik ook horen.' Mamma gaat in de vensterbank zitten.

'Heel, héél lang geleden,' vertelt opa, 'toen míjn opa's opa klein was, had je Hansje-in-de-kelder.'

'Hansje in de kelder?'

'Jaja,' gaat opa verder. 'Dat was een prachtige zilveren drinkschaal. Op de bodem, precies in het midden van die schaal, zat een halve bol. En in die bol zat een naakt zilveren baby'tje verstopt. Als er ergens een kindje werd verwacht, nodigden ze iedereen uit: familie, vrienden en kennissen. Pas als iedereen in de kamer zat, vulde de vader van het gezin de

drinkschaal met wijn. En dan... huppekeetje.
Door het klepje van die bol piepte Hansje te
voorschijn. En dan wist iedereen tegelijk dat
die moeder in verwachting was.'
'En dan?'
'Dan gaf de vader van het gezin de schaal door,
zodat iedereen een slok wijn kon nemen. En
nog voordat ze de wijn doorslikten, brachten ze
een toost uit op het toekomstige baby'tje.'
'Ik wou dat ik toen leefde,' zucht Michiel. 'Dan
nam ik ook een slok uit Hansje-in-de-kelder.'
'Denk dat maar niet,' zegt opa. 'Kinderen
kwamen daar niet aan te pas. Die mochten niet
eens weten dat er een kindje in hun moeders
buik groeide.'
'Ik weet al wat ze verzonnen,' zegt Michiel. 'Ze
vertelden dat het kindje door de ooievaar werd
gebracht.'

Mamma begint te zingen.

Ooievaar, lepelaar,
Heb je een lief kindje klaar.
Breng dan bij mijn moertje,
Een zusje of een broertje.

'Dat versje zingt juf ook wel eens,' vertelt Iris.
'Wat verzon jouw moeder, opa, waar je
vandaan kwam?' wil Michiel weten.
Opa glimlacht. 'Mijn vader maakte ons wijs
dat hij de kinderen uit de boom plukte. Maar
wat nou weer zo grappig was, mijn moeder had
een heel ander verhaal. Die beweerde doodleuk
dat de jongetjes uit de rode kool kwamen en de
meisjes uit de witte.'

Iris en Michiel schieten in de lach. 'Wie moest
u nou geloven?'
'Dat wist ik toen ook niet meer. Tot ik op een
dag het verhaal van de ooievaar hoorde. En dat
geloofde ik meteen. En elke keer als mijn vader
over zijn kinderboom begon, of mijn moeder
over haar kool, zong ik dit liedje.' Opa gaat in
het midden van de kamer staan en zingt:

In die nacht,
in die duistere nacht,
had de ooievaar
een kindje gebracht
en mijn vader en mijn
moeder in d'r schik,
want dat kindje
dat was ik.

'Mooi!' Alle vier beginnen ze te klappen.
'Klaar!' Pappa wrijft met een droge doek over
het behang. 'Nou moeten er alleen nog een
paar mooie tekeningen op de muur. Dan is het
kamertje helemaal klaar en mag de baby
komen.'
'Ik maak een tekening van een ooievaar die
een baby'tje in zijn snavel heeft,' zegt Michiel.
'Ik teken de kinderboom. Waar de vaders en

moeders de kindertjes plukten. En daarna
maak ik nog een tekening van die kool.' Iris
rent al naar de kamer om de viltstiften te
halen.
'U moet ook een tekening maken, opa,' zegt
Michiel.
'Als ik dat maar kan,' antwoordt opa. 'Ik ben
niet zo knap in tekenen.'
'Geeft niks.' Iris legt meteen een tekenvel voor
zijn neus.
Na een tijdje gluurt
Iris stiekem naar
opa's tekening. 'Wat
maakt u nou?'
'Het lijkt wel of dat
baby'tje uit die tas
komt,' lacht Michiel.
Opa knikt.

'Mijn buurvrouw vertelde altijd dat de kindjes
uit de dokterstas kwamen.'
'Haha...' Zoiets geks hebben ze nog nooit
gehoord.
'Dat moet ik aan ons baby'tje vertellen.' Iris
legt haar mond tegen mamma's buik. 'Hoor je
dat, kleintje? Weet je wat de buurvrouw van
opa Vink zei? Dat de kindjes uit de dokterstas
kwamen. Haha... goeie, hè?'
'Ons baby'tje lacht!' roept Michiel. 'Kijk,
mamma's buik beweegt.'
Nu zien de anderen het ook.
'Denk erom, jij!' Opa heft zijn vinger op naar

de dikke buik. 'Jij mag mijn buurvrouw niet
uitlachen, hoor!'
'Die lachtekening van opa hangen we vlak bij
de wieg,' giechelt Iris. 'Daar wordt de baby
vast heel vrolijk van.'
'Eerst zet ik een lekker kopje thee,' stelt
mamma voor.
'Hmmmm...' Opa trekt zijn portemonnee uit
zijn broekzak. 'En dan trakteer ik op een
heerlijke slagroompunt. En voor jullie moeder
twee. Want die moet voor twee eten!'
'Joepie!' Iris en Michiel staan al met de
boodschappentas bij de deur.

Volle maan

Het baby'tje in mamma's buik is helemaal
klaar met groeien. Dat heeft de vroedvrouw
gezegd. Het kan nu elk moment komen. Het is
heel spannend. Pappa belt telkens van zijn
werk naar huis of de weeën al zijn begonnen.
Mamma heeft Iris en Michiel uitgelegd wat
weeën zijn. Dat betekent dat de spieren in haar
buik samentrekken zodat de baby eruit kan.
Jammer genoeg voelt mamma nog steeds niks.
De laatste dagen rennen Iris en Michiel
pijlsnel van school naar huis. Zo benieuwd zijn
ze of hun baby'tje al in de wieg ligt. Maar als
ze de babykamer inkomen is de wieg leeg.
'En?' vraagt iedereen die ze op straat
tegenkomen. 'Is de baby er al?' En dan moeten
ze steeds nee zeggen. Dat is helemaal niet leuk,
hoor. Want ze zijn toch al zo zenuwachtig van
het wachten. En als er na een week nog niks
gebeurd is, beginnen ze te twijfelen. Komt het
baby'tje eigenlijk wel naar buiten?
Gelukkig stelt opa Vink hen gerust.
'Zal ik jullie eens een geheimpje verklappen?'
Hij duwt een dropje in de twee mondjes en
fluistert: 'Vaak worden kindjes 's nachts
geboren. Bij volle maan...'
'Duurt dat nog lang?' vraagt Iris.
Opa lacht geheimzinnig. 'Kijk vanavond maar

naar buiten. Dag hoor.' En voordat Iris en
Michiel nog meer kunnen vragen, loopt hij
door.

Zodra het donker is, gaan Iris en Michiel voor
het raam staan. Ze knijpen opgewonden in
elkaars hand. Boven de daken uit schijnt de
maan. Hij is zo rond als een bal. Het lijkt wel
of hij naar hen lacht.

'Ik blijf de hele nacht wakker,' fluistert
Michiel als mamma hen in bed heeft gestopt.
'Ik ook.' Iris zet vast een stapeltje boeken
naast haar kussen. Dan heeft ze wat te doen.
Gapend slaat Michiel na een tijdje zijn
stripboek dicht. 'Is het nou eindelijk eens
nacht?'
Iris schuift het gordijn opzij. 'Nog lang niet,'
zucht ze. 'Bijna overal brandt nog licht.'
Michiel houdt het bijna niet meer uit. 'Mijn
ogen zijn hartstikke moe van het lezen. Ik ben
zo bang dat ik in slaap val.'
'Geeft niks,' stelt Iris hem gerust. 'Zodra ik
onze baby hoor, por ik je wakker.'
'En jij dan? Als jij nou ook in slaap valt?'
'Kan niet.' Iris houdt een heel dik boek
omhoog. 'Het duurt nog de hele nacht voor ik
dit uit heb, dus...'
'Goed dan.' Michiel heeft geen zin meer in
lezen. Hij trekt de dekens over zich heen.
'Welterusten.'
'Welterusten.'
Iris zet haar kussen tegen de muur en gaat
rechtop zitten. Dat leest veel lekkerder. Ze
heeft nog niet eens alle plaatjes op de eerste
bladzij bekeken of...
'Iris, ik kan niet slapen bij dat licht. Mag het
lampje uit?'
'Hoe kan dat nou?' zegt Iris verontwaardigd.
'Hoe kan ik nou lezen in het donker?'
'Ik ben zo moe,' zucht Michiel. 'Als ik niet

slaap, kan ik morgen niet met ons baby'tje
spelen.'
Iris slaat haar boek dicht en doet het lampje
boven haar bed uit. 'Heel even, goed? Moet je
wel vlug in slaap vallen.' Ze gaat op haar rug
liggen.
'Slaap je al?' vraagt ze na een paar minuten.
'Nee,' kreunt Michiel. 'Het gaat niet. Wil je
een slaapliedje voor me zingen? Dan gaat het
vlugger.'
'Goed dan.' Iris begint: 'Slaap kindje slaap...'
Ze probeert zo slaperig mogelijk te zingen. O
jee, Iris' stem klinkt zo slaperig, dat niet alleen
Michiel, maar zijzelf ook begint te gapen. En
het duurt niet lang of hun ogen vallen dicht.
Midden in de nacht gaat de deur van hun
kamertje open.
'Iris, Michiel... Word eens wakker.' Pappa
knipt een lampje aan.
Iris schiet overeind. Is ze dan toch in slaap
gevallen? Veel tijd om erover na te denken
heeft ze niet.

'Jullie hebben een broertje,' zegt pappa. 'En hij heet Joris!'
'Een broertje!' Iris en Michiel staan meteen naast hun bed.
'En ik wou zo graag een broertje!' juicht Michiel.
Iris danst door de kamer. Van blijdschap vergeet ze helemaal dat ze liever een zusje wilde.
'Mogen we onze broer zien, pap?' vraagt Iris.
'Jullie mogen er even naartoe,' pappa heft zijn vinger op, 'maar denk erom, muisstil. Joris mag niet van jullie schrikken. En mamma is heel moe. De vroedvrouw is net weg. Die heeft gezegd dat we heel stilletjes moeten doen.'
Iris en Michiel knikken. Op hun tenen lopen ze achter pappa aan naar de slaapkamer. Zo zacht als ze kunnen sluipen ze naar het grote bed. Ze kijken naar het baby'tje dat op mamma's buik ligt. Maar ze zeggen niets.
Mamma pakt hun hand. 'Nou? Hoe vinden jullie hem?'
Iris is de eerste die iets weet te zeggen. 'Hij moet wel in bad. Hij heeft allemaal plaksel op zijn lijfje.'
'Dat is huidsmeer,' legt mamma uit. 'Dat wassen we er niet af. Dat laten we lekker indrogen. Dat is goed voor zijn huidje.'
'Hij lijkt net een oude opa met die rimpels,' mompelt Michiel teleurgesteld.
Pappa schiet in de lach. 'Dat komt omdat hij

zich door een smal tunneltje heeft moeten
wringen. Die rimpels trekken vanzelf weg.'
Iris en Michiel weten niet zo goed wat ze van
Joris moeten vinden.
'Weet je wat,' zegt pappa zachtjes, 'ik ga
beschuit met muisjes voor ons klaarmaken.
Passen jullie dan even op mamma en Joris?
Maar denk erom...' Hij legt zijn vinger op zijn
mond.
'Ik haal Beer,' fluistert Michiel in Iris' oor.
'Dan kan die Joris ook zien.'
Dat vindt Iris een goed idee. 'Ik haal pop
Loesje.'
Ze sluipen naar hun kamertje. Nog geen tel
later komen ze terug met pop Loesje en Beer.
'Kijk eens, Joris,' zegt Michiel zachtjes. 'Dit is
Beer. Jij hebt nog geen knuffel, hè? Weet je
wat, jij mag Beer wel even hebben.' En zonder

Joris wakker te maken legt hij Beer
voorzichtig naast Joris.
'Nee!' Iris schudt haar hoofd. 'Jij hoeft Beer
niet te geven, hij mag pop Loesje al.' Ze pakt
Beer weg en legt pop Loesje naast Joris.
Michiel trekt aan Iris' arm. 'Jongens houden
niet van poppen,' fluistert hij. Heel voorzichtig
verplaatst hij pop Loesje naar het voeteneind
en legt Beer ervoor in de plaats.
'Niet doen!' valt Iris uit. Ze is even vergeten
dat ze rustig moeten zijn. 'Zo'n klein jongetje
schrikt van een beer, hoor.'
'Jongens, kan het een beetje rustiger?' Maar
Iris en Michiel letten niet op mamma.
'Haal die beer weg,' beveelt Iris. Michiel
schudt nee. Nu wordt Iris echt boos. Ze pakt
pop Loesje en drukt haar boven op Beer.

'Stommerd! Zo stikt Beer!' Michiel trekt Iris
hard aan haar haar.
'Auw!' gilt Iris.
Daar heb je het al. De baby schrikt en begint te
huilen.
'Zie je nou wat je doet!' schreeuwt Michiel
boos. 'Jij maakt Joris aan het huilen!'
'Nietes! Jij!'
'Niet! Jij!'
Ze hebben zo'n ruzie, dat ze pappa niet eens
horen binnenkomen.
Verontwaardigd zet hij het blad met
beschuitjes op het nachtkastje. 'Noemen jullie
dat zachtjes?'
'Pop Loesje en Beer willen alletwee bij Joris,'
zegt Iris. 'Ik denk dat we maar moeten loten.'
Pappa schudt zijn hoofd. 'Pop Loesje en Beer
zijn van jullie. Zullen we morgen een knuffel
voor Joris kopen?'
'Mogen wij hem dan uitzoeken?'
'Dat mag.' Pappa pakt het blad van het
nachtkastje en houdt het hun voor. 'Smikkel
nu eerst maar een lekker beschuitje met
muisjes. Tenslotte hebben we feest.'
'Mogen we de hele nacht opblijven?' vraagt Iris
met haar mond nog halfvol.
Pappa schudt de kruimeltjes van zijn broek.
'Het is drie uur in de nacht. Ik breng jullie zo
naar bed. Zelf ga ik ook nog even slapen.'
'Zal ik Joris in zijn wiegje stoppen?' Iris wil
hem meteen oppakken. Maar mamma drukt

Joris tegen zich aan. 'Vannacht wil ik hem nog bij me houden. Anders is hij meteen zo alleen.'

'En wij dan?' Iris en Michiel kijken beteuterd.

'Komen jullie ook nog maar even bij me liggen.' Mamma schuift op, zodat ze elk aan een kant kunnen liggen.

Terwijl pappa het blad en de bordjes wegbrengt, kruipen ze gezellig tegen mamma aan.

Even later komt pappa in zijn pyjama de slaapkamer binnen. Glimlachend kijkt hij naar het grote bed. Al zijn kindertjes zijn in slaap gevallen. Mamma ook. Aan één kant van het bed is nog een smal stukje vrij voor hem. Zachtjes doet hij het licht uit en kruipt in bed. Zijn billen hangen over de rand heen, zo klein is het plekje. Maar dat kan pappa niks schelen. Tevreden doet hij zijn ogen dicht en valt in slaap.

In bad

'Opschieten!' Iris en Michiel hollen van school
naar huis.
'Als zuster Joke nou maar op ons wacht,' hijgt
Michiel.
'Tuurlijk wel,' zegt Iris. 'Ze heeft het toch zeker
beloofd. Ze zou wachten met het badje tot wij
er waren, dus...'
Ze stormen het tuinhek door. De keukendeur
staat al open. Zonder op of om te kijken
smijten ze hun jas en hun tas onder de kapstok
en rennen naar boven.
Joke staat hen boven aan de trap al op te
wachten. 'Mooi op tijd.' Ze slaat een arm om de
tweeling heen. 'Joris wordt net wakker. Ik heb
het badje al laten vollopen.'
'Dag lief poepiedoepiedoepie van me!' Iris
streelt het piepkleine handje dat in het wiegje
ligt. 'Wij gaan jou eens lekker schoonmaken.'
Ze schuift fluitend de la van de commode open.
Terwijl Iris en Michiel de badspulletjes
klaarzetten, haalt zuster Joke Joris uit het
wiegje. Voorzichtig legt ze hem op de commode
en trekt zijn natte luier uit.
'Wat een klein plassertje!' zegt Iris.
En dan... pssss, komt er zomaar een plasje uit.
Het komt met een prachtig boogje precies in
het plantje dat op de vensterbank staat.

43

'Haha... Joris de tuinman...' Michiel proest het
uit. 'Hij gaat de plantjes water geven... haha...'
'Op school moeten wij ook wel eens de plantjes
water geven...' lacht Iris, 'maar niet zo.'
'Nee Joris,' hikt Michiel. 'Zo moet het later
niet als je bij juf Arianne in de klas zit.'
Joke trekt lachend Joris zijn hemdje uit.
'O, wat zielig! Wat is dat nou? Is hij gevallen?'
Iris wijst verschrikt naar het verbandje dat op
Joris' buikje zit.
'Nee hoor,' stelt Joke haar gerust. 'Dat is zijn
naveltje.' Ze haalt het gaasje eraf. 'Zien jullie
dat wondje? Daar zat de navelstreng aan vast.
Daar at Joris mee toen hij in de buik van
mamma zat. Over een paar dagen is het wondje
genezen en dan valt het korstje er vanzelf af.

Dan heeft Joris net zo'n mooi naveltje als jullie.'

'Lijkt me handig, door je navel eten,' lacht Iris. 'Dan moet je zo een ijsje likken.' Ze doet haar trui omhoog en duwt het zogenaamde ijsje in haar navel.

'Mag hij nou in bad?' Iris wil Joris pakken, maar zuster Joke houdt haar tegen. 'Eerst mogen jullie dit mannetje lekker inzepen.' Ze maakt twee washandjes nat en smeert er zeep op. 'Heel zachtjes hoor,' waarschuwt ze.

Eerst zepen Iris en Michiel elk een armpje in. Daarna is het buikje aan de beurt en dan ieder een beentje.

'Zijn piemeltje doe ik niet, hoor,' grinnikt Iris. 'Dan ga je zeker weer plassen, hè, klein pieskontje?'

'Het moet wel schoon,' zegt Joke.

Terwijl Iris een paar stapjes opzij doet, smeert ze vlug een beetje zeep op het piemeltje. Als Joris dan plast, komt het tenminste niet in haar gezicht.

Als Joris helemaal is ingezeept, houdt Joke hem boven het badje. Ze laat hem heel langzaam zakken, totdat zijn hele lijfje nat is. Alleen zijn hoofdje steekt boven het water uit. Iris en Michiel gieten om de beurt een straaltje water over het bolletje heen. Joris vindt het heerlijk. Als alle zeep eraf is, tilt Joke Joris uit het water. Ze legt hem terug op de commode en geeft Iris en Michiel elk een zachte handdoek.

'Droog je broer maar af.'
Ze wrijven zachtjes met de handdoek over
Joris. Ze zuchten ervan, zo'n moeilijk werk is
het. Ze mogen hem immers geen pijn doen.
'Nou, dat doen jullie knap.'
'Komt omdat we pop Loesje en Beer ook zo
vaak in bad doen,' vertelt Michiel.
'Pop Loesje is het moeilijkst,' vind Iris. 'Er
komt altijd water in haar buik. En dan moet je
het been erafhalen en dan loopt het eruit.'
'Doe dat maar niet bij Joris,' lacht Joke.
'Mag ik zijn billetjes poederen?' vraagt
Michiel, als Joris helemaal droog is.
'Dan mag ik hem aankleden.' Iris trekt de la
van de commode al open. 'Dit doe ik hem aan.'
Ze houdt een geel olifantspakje omhoog.

Joke doet Joris een luier om. Daarna bindt ze
een schoon navelbandje vast en trekt zijn
hemdje aan.
'Trek zijn pak maar aan,' zegt ze tegen Iris.
Iris probeert de kleine beentjes in het pakje te
duwen. Opeens begint Joris te huilen.
'Je doet hem pijn,' zegt Michiel.
'Nietes!' roept Iris.
'Ik denk dat er iets anders aan de hand is,' zegt
Joke. 'Dit kleine mannetje heeft er genoeg van.
Hij heeft honger. Ik trek hem wel even vlug
zijn pak aan.'
In een wip is Joris helemaal klaar. Dan nemen
ze hem mee naar de slaapkamer.
'Kijk eens, mam, hoe schoon hij is?' zeggen Iris
en Michiel trots.
'Hmmm...' Mamma houdt Joris tegen haar
neus. 'Wat ruik jij lekker!' Dan legt ze hem
tegen haar borst aan en duwt haar tepel in
Joris' mondje.
'Snapt hij wel dat daar melk in zit?' vraagt
Michiel.
'Kijk maar eens,' zegt mamma. Nu zien ze het
ook. Joris begint heerlijk te sabbelen.
'Mogen wij ook eens proeven?' vraagt Iris even
later. Mamma houdt Joris rechtop tegen haar
schouder, zodat hij een boertje kan laten. Als
mamma knikt, duiken Iris en Michiel naar
beneden. Ze hebben elk een tepel te pakken. Ze
zuigen en...
Twee vieze gezichtjes vliegen omhoog. 'Bah!'

'Ik heb liever cola,' zegt Michiel.
'Ik seven up.'
'Sorry,' lacht mamma. 'Frisdrank verkoop ik
niet. Ik heb alleen melk. Maar dit mannetje
vindt het gelukkig wel lekker, hè?' En ze legt
Joris aan haar andere borst.

'Het stinkt hier,' zegt Iris als ze Joris weer in
zijn wiegje stoppen. 'Ik ruik pies.'
Joke wijst naar de vieze luier in haar hand.
Iris en Michiel knijpen hun neus dicht.
'Zo erg is het toch niet?' zegt Joke lachend.

'Zo'n klein babyplasje ruik je bijna niet. Jullie boffen nog. Vroeger wasten de mensen de luiers niet eens. Dat vonden ze onzin, omdat ze toch weer nat werden.'
'Hielden die baby's dan altijd hun natte luier om?' vraagt Iris.
'Nee,' legt Joke uit. 'In de babykamer stond een metalen vuurmand. Daarin lagen onderin kooltjes. De natte luiers legden ze over die hete mand. En zo droogden ze weer op.'
'Gatver! Opgedroogde pies!' roept Michiel.
'Ja,' vertelt Joke. 'En ze deden nooit een raampje in de babykamer open, hoor. Ze dachten dat frisse lucht slecht was voor baby'tjes. Kun je nagaan hoe lekker het daarbinnen rook.'

'Jakkes!' Iris laat zich op de grond vallen. 'Ik val flauw.'
'Ik ook.'
'Wie zijn hier flauwgevallen?'
Met een ruk draaien Iris en Michiel zich om.
'Oma! Opa!' Ze springen overeind.

Iris en Michiel lopen weg

Het is woensdagmiddag. Joris is alweer twee
weken oud. Iris en Michiel staan voor het
raam. Ze vervelen zich een beetje.
'Daar heb je Tim!' Iris doet het raam open.
'Tim, zullen we spelen?'
'Kan niet,' roept Tim. 'Ik ga met mijn moeder
naar het circus.'
'Circus? Is het circus er?'
Tim knikt. 'Bij de grote kerk. Net als vorig
jaar.'

Iris en Michiel rennen naar boven. Mamma zit
op de babykamer. Ze geeft Joris de borst.
'Mam, gauw, we moeten naar het circus!'
'Dat spannende circus is er weer, met die lach-
clowns,' legt Michiel uit als hij mamma's
verbaasde gezicht ziet.
Mamma legt Joris aan haar andere borst. 'Dat
kan niet, jongens. Ik kan Joris toch niet alleen
laten?'
'Hij kan best mee,' zegt Iris. 'We hebben toch
een reiswieg?'
Maar dat vindt mamma geen goed idee.
'Joris moet vanmiddag slapen. Het gaat echt
niet.'
En als Iris en Michiel blijven zeuren, wordt ze
boos. 'Houden jullie er nu over op.' En ze
stuurt hen het babykamertje uit.
'Nou, zeg! Joris. Altijd Joris.' Iris en Michiel
bonken woedend de trap af naar buiten.
Iris geeft een trap tegen een vuilnisbak. 'Ik
vind er niks meer aan zo.'
'Ik ook niet.' Michiel schopt een steentje weg.
'Wat heb je nou aan zo'n stomme baby?'
'Je kan nog geeneens met hem spelen,' moppert
Iris. 'Hij slaapt de hele dag.'
'Of hij huilt,' bromt Michiel. 'Van dat gejank
word ik ook nog eens gek. En mamma heeft
nooit tijd voor ons.'
'Eigenlijk kunnen we er net zo goed niet meer
zijn,' zegt Iris half huilend. 'Ze houdt niet eens
meer van ons. Alleen van Joris.'

Verdrietig slenteren ze de straat uit. In hun ogen staan tranen. En alle vriendjes en vriendinnetjes die ze tegenkomen gaan naar het circus. Met hun moeder. Behalve zij.

'Rot mamma!' Midden in de winkelstraat blijft Iris staan. 'Ik ga nooit meer naar huis.'

Op dat moment valt haar oog op een vrachtwagen die voor de meubelwinkel staat. 'N-a-a-r-d-e-n,' leest Iris hardop. Dat heeft haar opa haar geleerd.

Naarden kennen ze heel goed. Daar wonen opa en oma. Iris knijpt in Michiels hand. 'Zullen we weglopen en bij opa en oma gaan wonen?' En als Michiel geen antwoord geeft, gaat ze verder: 'Ik durf het best. Bij opa en oma is het veel leuker. Die hebben tenminste geen jankbaby.'

Terwijl Iris en Michiel om de vrachtwagen heen lopen, maakt de chauffeur de achterdeuren open. Hij pakt een kleed en loopt de winkel in.

Als Iris ziet dat de deuren openstaan, hijst ze
zich meteen in de vrachtwagen. Ze steekt haar
hand naar Michiel uit. 'Kom mee!'
Maar Michiel aarzelt.
Iris kruipt weg achter een kast.
'Iris!' roept Michiel. 'Kom eruit. We doen het
niet!'
Iris steekt haar hoofd om het hoekje van de
kast. 'Ik dus wel. Dan ga ik wel alleen bij opa
en oma wonen.'
'Iris, kom nou,' probeert Michiel nog. Maar
Iris is vastbesloten.
'Ik ga lekker opa helpen in de tuin. Blijf jij
maar bij die jankzak. Toedeloe!' Haar hoofd
verdwijnt in het donker.
Dat werkt. Opa helpen is het leukste wat
Michiel kan bedenken. Hij hijst zich omhoog
en kruipt de vrachtwagen in.

Net op tijd. Michiel is nog maar net onder de tafel verdwenen of ze horen voetstappen en... BENGGGGG... De deuren vallen dicht.

Michiel pakt Iris' hand. 'Is het niet gevaarlijk?'

'Wat is er nou gevaarlijk aan opa en oma,' snuift Iris.

'Het is zo donker,' zegt Michiel met een bibberig stemmetje. 'Misschien zit er wel een griezelige grote spin.'

'Een spin in een vrachtwagen? Nooit van gehoord,' stelt Iris hem gerust. En ze slaat een arm om Michiel heen. 'Ik ken een heel moeilijk raadsel...'

Het is nog een heel eind naar Naarden. Iris heeft wel honderd raadseltjes verzonnen. Haar hoofd is helemaal leeg als de vrachtwagen eindelijk stopt.

De achterdeuren gaan open. Iris en Michiel kruipen achter de kast vandaan. Ze knipperen tegen het felle licht.

De mond van de chauffeur valt open: 'Wat zullen we nou hebben?'

Iris springt uit de wagen. 'We moeten naar opa en oma.'

'Naar opa en oma?' vraagt de chauffeur. 'En waar wonen jullie opa en oma dan wel niet?'

Iris en Michiel kijken elkaar aan. 'In Naarden. Vlak bij het postkantoor.'

'Aha, daar.' De chauffeur krabt op zijn hoofd. 'Nou, dan zal ik jullie daar maar even naartoe

brengen. Jullie hebben geluk, dat ik wat achter
in de wagen had laten liggen. Want anders had
ik mijn wagen regelrecht de garage ingereden.
Dan hadden jullie hier de hele nacht
opgesloten gezeten. Dus... nooit meer doen!'
Michiel griezelt bij die gedachte. Maar Iris
staat al naast het portier.
'Stap maar in.' De chauffeur houdt het portier
open. Ze mogen naast hem zitten, voorin.
'Weet jullie moeder wel dat jullie hier zijn?'
'We zijn weggelopen,' legt Iris uit. 'Maar dat
kan mamma toch niks schelen. Ze vindt ons
niks meer aan.'

'Alleen de baby vindt ze nog leuk,' voegt
Michiel eraan toe.
'O, nou begrijp ik het.' De chauffeur glimlacht.
Hij rijdt de straat van het postkantoor in.
Ze herkennen het huis van opa en oma meteen.
De chauffeur stopt precies voor de deur.
Toevallig staat oma voor het raam. Ze ziet dat
de vrachtwagen stopt en denkt: Vreemd, ik heb
toch niks besteld?
Maar dan ziet ze twee kinderen uit de auto
komen. Oma kan haar ogen niet geloven. Is dat
de tweeling... Ze doet meteen open.
De chauffeur draait zijn raampje omlaag. 'Ze
zijn weggelopen, mevrouw. Ik ontdekte ze pas
toen ik bij de garage was.'
Oma loopt naar de vrachtwagen toe en geeft de
chauffeur een hand. 'U wordt hartelijk
bedankt,' stamelt ze. Ze loopt verward het huis
in.

Iris en Michiel zitten al prinsheerlijk op de bank.

'Wij komen hier wonen,' deelt Michiel mee.

'We vinden er thuis geen snars meer aan,' zegt Iris. En dan moeten ze alletwee huilen.

Nu komt opa er ook bij. Snikkend vertellen ze wat hun allemaal dwarszit. Joris die altijd huilt. En mamma die geen tijd meer voor hen heeft. En zelfs niet meer met hen naar het circus wil.

Opa trekt Iris en Michiel op schoot. 'Ik begrijp het best. Mamma is druk met de baby. En nou heeft ze een beetje weinig tijd voor jullie. Maar dat komt heus wel weer goed.'

'Toch vind ik Joris stom,' snikt Iris.

Oma loopt naar de gang. 'Ik zal eerst mamma opbellen om te zeggen dat jullie hier zijn. Die is vast heel ongerust.'

Intussen schenkt opa een glaasje limonade voor hen in.

'Mogen we hier blijven, oma?' vragen ze als oma weer binnenkomt.

'In ieder geval vannacht.' Oma streelt door hun haar. 'Morgen zien we wel weer verder.'

'Vond u er vroeger ook niks meer aan, oma? Toen u een broertje kreeg?' vragen ze.

'Dat herinner ik me nog heel goed.' Oma slaat een arm om hen heen. 'En ik was niet de enige. Heel veel kinderen krijgen dat gevoel als het broertje of zusje er eenmaal is. Wij zongen altijd dit liedje.' En oma en opa zingen samen:

Ooievaartje lepelaartje,
Ik ben niets tevreden
Over het broertje dat je bracht,
Nu een week geleden.

Weet je dat hij heel niet praat
En niet eens kan lopen?
Dat hij telkens schreien gaat
Met zijn mondje open?

Ikke wil dat broertje niet,
Breng een groter kindje.
Liefst een broertje net als Piet,
Weet je wel... mijn vrindje?

Iris en Michiel zijn er stil van. Zo mooi vinden
ze het liedje.
Opa staat op. 'Wordt er nog geholpen of moet
ik alles alleen doen?'
Dat hoeft hij geen twee keer te vragen. Iris en
Michiel hebben de kruiwagen al te pakken.
Ze boffen. De winter is net voorbij. Er moet een
heleboel in de tuin gebeuren. Ze mogen ook
plantjes in de grond zetten. Ze werken de hele
middag buiten. Ze zijn helemaal vergeten dat
ze weggelopen zijn. Dan roept oma hen binnen;
ze heeft thee en limonade neergezet.
'Hèhè,' puft opa. 'Was me dat werken.'
Oma roert in haar kopje. 'Wat zullen jullie
vanavond lekker slapen, kinderen.'
Iris en Michiel schrikken. Opeens moeten ze

aan thuis denken. Stilletjes zitten ze op de
bank. Met hun limonade in hun hand.
'Er is toch niks?' vraagt oma.
Iris begint te huilen. 'Ik heb zo'n rottig gevoel.
Anders gaven we Joris altijd een kusje voor we
naar bed gingen...'
'Dus eigenlijk willen jullie niet logeren?' vraagt
oma.
'Ik weet het niet,' snikt Michiel. 'Ik weet het
helemaal niet meer... Ik wil bij u zijn, maar ook
bij Joris...'
Opa steekt een sigaar op. 'Ik weet het
goedgemaakt. Wij brengen jullie naar huis. En
dan blijven we een paar nachtjes bij jullie
logeren.'
'Ja,' zegt oma. 'Als Joris dan moet slapen, hoeft
mamma niet thuis te blijven. Dan pas ik op Joris.'
'En dan kunnen we toch gezellig naar het
circus,' bedenkt opa. 'Met mamma.'
'Hoera!' juichen Iris en Michiel. En ze vallen
eerst opa en dan oma om de hals.

Picknicken

In de klas van juf Arianne wachten de
kinderen op de bel. Met hun tas op tafel en hun
jas aan zitten ze op hun stoeltjes.
'Michiel! Daar is je moeder met je kleine
broertje!' roept Tom, die vlak bij het raam zit.
In een wip staat de hele klas voor het raam.
'Mogen we vast naar buiten, juf?' bedelen de
kinderen.
'Ah, juf, mogen we even naar dat kleine
baby'tje kijken?'
Juf kijkt op haar horloge. Het duurt nog een
paar minuten voor de bel gaat. 'Nou, vooruit.
Allemaal heel zachtjes achter mij aan. Als
muisjes. Zodat de kinderen van de andere
klassen niks merken.'
Op hun tenen sluipt de klas van juf Arianne de
school uit. Maar zodra ze buiten staan, zijn ze
vergeten dat ze stil moeten zijn.
'O, wat lief...!' Dertig hoofdjes verdringen zich
rond de kinderwagen.
'Hij kan zijn kopje al optillen,' vertelt Iris
trots. 'En hij kan ook al een beetje lachen. En
soms mag hij op een kleedje in de kamer
liggen. En dan slepen we hem heel voorzichtig
over het zeil. En dan zeggen we TSJOEKE
TSJOEKE TSJOEK... En dat vindt hij harstikke
leuk.'

Iris en Michiel ratelen aan een stuk door over
Joris. Dat hij zo van badje houdt. En dat hij
heel boos wordt als hij een schone luier om
moet. En dat hij laatst een nachtje in hun
kamertje mocht logeren.
'Ik heb ook een broertje aan mijn moeder
gevraagd,' zegt Tim. 'Maar ik weet niet of ik
het krijg.'
'Ik zou ook wel een broertje willen.' 'Ik liever
een zusje!' Iedereen wil nog wel een broertje of
zusje erbij. Sommige kinderen willen er zelfs
twee! Ze kijken naar Iris en Michiel die vol
trots de wagen over het schoolplein duwen.
'Mag ik ook even duwen?' vraagt Jasmijn.
'Ik ook... ik ook... ik ook...' Bijna de hele klas
wil Joris duwen.
Mamma vindt het goed. Om de beurt mogen ze

de wagen een stukje over het schoolplein rijden.

'Zo,' zegt mamma als iedereen geweest is. 'Geven jullie Joris nu maar aan Iris en Michiel. Wij gaan weg.'

Iris en Michiel duwen de kinderwagen het schoolplein af. Ze willen rechtsaf gaan. Maar mamma wenkt hen dat ze rechtdoor moeten lopen.

Ze blijven verbaasd staan. 'Rechtdoor...?'

'We gaan niet naar huis,' verklapt mamma. 'We gaan picknicken.'

'Hoera!' Met stralende gezichten duwen ze de kinderwagen de straat door.

'Waar gaan we naartoe?'

'Naar het park bij de grote vijver.' Mamma houdt een zak omhoog. 'Ik heb zoveel oud brood.'

'Kunnen we eendjes voeren!' juicht Michiel.

Als ze bij de grote vijver zijn, zet mamma de picknickmand op het gras. 'Zullen we hier gaan zitten?' Ze rijdt Joris onder de boom, lekker in de schaduw.

Iris en Michiel gluren stiekem in de mand. Wat heeft mamma een heerlijke dingen meegenomen! Ze zien krentenbollen en voor elk een koek. En een thermosfles. Daar zit vast limonade in.

'Ziezo.' Mamma spreidt het tafellaken uit en zet de bordjes en de bekertjes erop. Even later zitten ze heerlijk te smikkelen.

Tevreden kruipt de tweeling tegen mamma
aan. Het is weer net zo gezellig als vroeger.
'Kijk eens, jongens. Nog een baby'tje.' Mamma
wijst naar een mevrouw die langsloopt met een
kinderwagen.
Dat moeten ze zien. Iris en Michiel springen
overeind.
'Wat een lieverdje...' zeggen ze tegelijk.
Zodra de mevrouw voorbij is, kijken ze in hun
eigen wagen. Want alle baby'tjes zijn lief.
Maar hun eigen Joris is de aller-allerliefste
baby van de hele wereld!

Inhoud